ぐりとぐらのあいうえお　NDC 913　24p　13×13cm 

中川李枝子 さく／山脇百合子 え

2002年2月1日発行　2002年12月20日　第6刷　印刷　精興社／製本　大村製本
発行所　株式会社 **福音館書店**　〒113-8686 東京都文京区本駒込6－6－3
電話　販売部 (03)3942－1226／編集部 (03)3942－2082　http://www.fukuinkan.co.jp/

GURI AND GURA'S A-I-U-E-O BOOK

Published by Fukuinkan Shoten Publishers, Inc., Tokyo, Japan.　Printed in Japan

●乱丁・落丁本は、小社制作課宛ご送付ください。
送料小社負担にてお取り替えいたします。　ISBN4-8340-1795-8

ん？

わん　つー　すりー
ワン　ツー　スリー
ワルツで　おわかれ

らべんだー
りんどう
るりそう
れもんばーむ
ろばさん　うっとり

やまの
いのしし
ゆきの
えはがき
よろこんだ

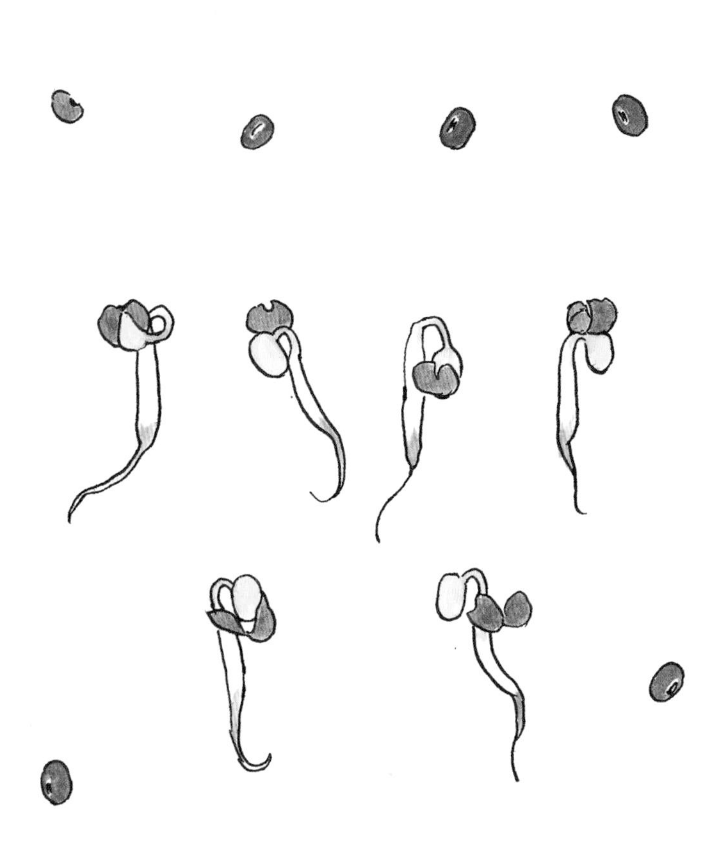

まめ
みどりまめ
むっつ
めがでて
もやしになった

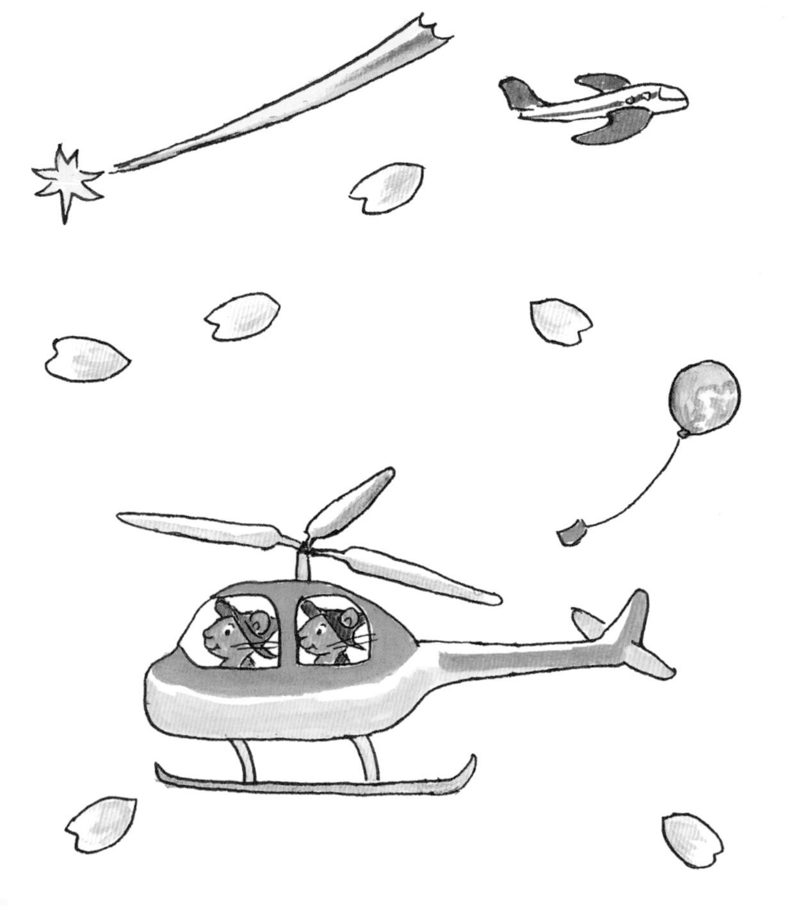

はなびら
ひこうき
ふうせん
ヘリコプター
ほうきぼし

なんとまあ
にんじん
ぬいたら
ねっこのひげが
のびほうだい

たいせつなもの
ちず
つめきり
てぶくろ
とけい

さくらの
したで
すまして
せのび
そっくりかえる

かめさん
きつねくん
くまどん
けむしちゃん
こんにちは

あさ
いもほり
うでまくり
えんやらやっと
おおきな　おいも

なかがわ りえこ さく

やまわき ゆりこ え